CORPS DU ROI

ÉDITIONS VERDIER
11220 LAGRASSE

DU MÊME AUTEUR

aux éditions Verdier :

VIE DE JOSEPH ROULIN, 1988.

MAÎTRES ET SERVITEURS, 1990.

LA GRANDE BEUNE, 1996.

LE ROI DU BOIS, 1996.

MYTHOLOGIES D'HIVER, 1997.

TROIS AUTEURS, 1997.

ABBÉS, 2002

VIES MINUSCULES, Gallimard, 1984.

L'EMPEREUR D'OCCIDENT, Fata Morgana, 1989.

RIMBAUD LE FILS, Gallimard, 1992.

Pierre Michon

Corps du roi

Verdier

www.editions-verdier.fr

© Éditions Verdier, 2002.
Crédit photographique page 12 : Lutfi Özkök, Sipa Press
page 56 : Cofield Collection, Southern Media Archive,
Special Collections, University of Mississippi Libraries.
ISBN : 2-86432-366-4

Pour Yaël Pachet

« Tout raisonnement n'est que figure. »
JOUBERT

LES DEUX CORPS DU ROI

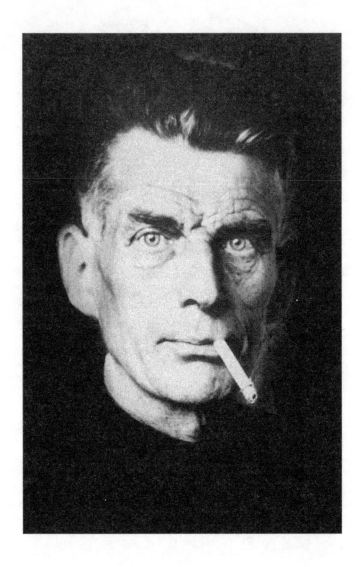

L'année 1961. Plutôt l'automne ou le début de l'hiver. Samuel Beckett est assis. Il y a dix ans qu'il est roi – un peu moins ou un peu plus de dix ans : huit ans pour la première de *Godot*, onze ans pour la publication massive des grands romans par Jérôme Lindon. Rien n'existe en France pour lui faire pièce ou lui disputer ce trône sur quoi il est assis. Le roi, on le sait, a deux corps : un corps éternel, dynastique, que le texte intronise et sacre, et qu'on appelle arbitrairement Shakespeare, Joyce, Beckett, ou Bruno, Dante, Vico, Joyce, Beckett, mais qui est le même corps immortel vêtu de défroques provisoires ; et il a un autre corps mortel, fonctionnel, relatif, la défroque, qui va à la charogne, qui s'appelle et s'appelle seulement Dante et porte un petit bonnet sur un nez camus, seulement Joyce et alors il a des bagues et l'œil myope, ahuri, seulement Shakespeare et c'est un bon gros rentier à fraise élisabéthaine. Ou il s'appelle seulement et carcéralement Samuel Beckett et dans la prison de ce nom il est assis en automne 1961 devant l'objectif de Lutfi Özkök, Turc, photographe – photographe esthétisant, qui a disposé derrière son modèle habillé de sombre un drap sombre pour donner au portrait qu'il va en faire un air de Titien ou de Champaigne, un grand air classique. Ce Turc a pour manie, ou métier, de photographier des écrivains, c'est-à-dire, par grand artifice, ruse et technique, de tirer le portrait des deux corps du roi, l'apparition simultanée du corps de l'Auteur et de son incarnation ponctuelle, le Verbe vivant et le *saccus merdæ*. Sur la même image.

Tout cela Beckett le sait, parce que c'est l'enfance de l'art – et parce qu'il est roi. Il sait aussi qu'avec lui, pour lui, cette opération magique est plus facile que pour Dante ou Joyce, car à la différence de Dante ou Joyce il est beau : beau comme un roi, l'œil de glace, l'illusion du feu sous la glace, la lèvre rigoureuse et parfaite, le *noli me tangere* qu'il porte de naissance ; et comble de luxe, beau avec des stigmates, la maigreur céleste, les rides taillées au tesson de Job, les grandes oreilles de chair, le look roi Lear. Il sait que pour lui c'est trop facile, comme si le gros rentier élisabéthain avait eu la tête du roi Lear ; et qu'on ne peut guère prendre la photo du *saccus merdæ* nommé Samuel Beckett sans qu'apparaisse dans le même moment le portrait du roi, la littérature en personne, avec, bien visibles autour de l'œil de glace et des grandes oreilles, le bonnet de Dante, la fraise élisabéthaine et, dans un coin, visible ou pas, le tesson de Job.

De cela, de ce hasard biologique ou de cette justice immanente, est-ce qu'il se réjouit, Samuel Beckett, ce jour d'automne 1961 ? Est-ce qu'il en tire vanité, dégoût, ou une extraordinaire envie de rire ? Je ne le sais pas, mais je suis sûr qu'il l'accepte. Il dit : Je suis le texte, pourquoi ne serais-je pas l'icône ? Je suis Beckett, pourquoi n'en aurais-je pas l'apparence ? J'ai tué ma langue et ma mère, je suis né le jour de la Crucifixion, j'ai les traits mélangés de saint François et de Gary Cooper, le monde est un théâtre, les choses rient, Dieu ou le rien exulte, jouons tout cela dans les formes. Continuons. Il tend la main,

il prend et allume un boyard blanc, *gros module,*
il se le met au coin des lèvres, comme Bogart,
comme Guevara, comme un métallo. Son œil de
glace prend le photographe, le rejette. *Noli me
tangere.* Les signes débordent. Le photographe
déclenche. Les deux corps du roi apparaissent.

Corps de bois

Vendredi 16 juillet 1852. Au lever du jour. À la fin de la nuit. Il a plu, il ne pleut plus. De grands nuages ardoise courent dans le ciel. Flaubert n'a pas dormi. Il sort dans le jardin de Croisset : les tilleuls, puis les peupliers, puis la Seine. Le pavillon du bord de l'eau. Il a fini la première partie de *Madame Bovary*.

Le dimanche, il écrit à Louise Colet que ce vendredi à l'aube il s'est senti fort, serein, doué de sens et de but.

Le vent du matin lui fait du bien. Il a un beau gros visage fatigué, un beau gros visage reposé. Il aime la littérature. Il aime le monde.

« Privé de vie personnelle, de maison, de patrie, de parti, etc., il a fait de la littérature sa seule raison de vivre, et le sérieux avec lequel il considère le monde littéraire serre le cœur. » Ces mots de Pasolini se rapportent à Gombrowicz. Mais ils pourraient aussi bien s'appliquer à Flaubert, et le cœur ne serait pas moins serré, peut-être davantage. Car Flaubert, s'il eut une vie personnelle (comme d'ailleurs Gombrowicz, mais Pasolini va toujours très vite), affecta de n'en pas avoir ; de même il affecta de n'avoir ni maison, ni patrie, ni liberté, ni mère nommée Caroline, ni nièce orpheline nommée de même Caroline, ni Seine en bout de parcours roulant sous ses yeux, ni métairies sur les collines du bocage, ni flopées de disciples et de flagorneurs, ni valets bénévoles œuvrant pour lui dans Paris dans tous les couloirs des belles-lettres et des journaux – toutes choses que véritablement Gombrowicz n'avait pas et que lui, Flaubert, avait. Flaubert affecta de n'avoir rien de tout cela, cela qu'il avait, et cette affectation lui devint une réalité ; il se bricola un masque qui lui fit la peau et avec lequel il écrivit des livres ; le masque lui avait si bien collé à la peau que quand peut-être il voulut le retirer il ne trouva plus sous sa main qu'un mélange ineffable de chair et de carton-pâte sous la grosse moustache de clown. Pourtant ce n'était pas vraiment le clown, qu'il faisait – il faisait le moine ; et ceci pas seulement pour la galerie, mais pour lui-même et à ses propres yeux : il était *un frère déchaussé* non seulement dans la rue et pour les bonnes âmes, mais aussi quand il rentrait chez lui, chaussât-il des babouches de soie. La Seine qui coulait sous ses yeux, il s'en déposséda ; la petite fille qui vécut dans ses jambes et que, dans tous ses livres, il met à mort, c'est à peine s'il la vit ; les plus belles filles de son temps, sans doute aussi les plus fines, qui voulaient de lui, dont il lui arrivait de jouir, il s'en déposséda, qu'il en jouisse ou qu'il décide de n'en plus jouir, ce qui revenait exactement au même ; pas de pommes dans les pommiers de Normandie, pas d'arbres profonds dans les forêts, pas de Louise Colet délacée, pas de lilas, pas de rires jeunes, ni de pleurs de Louise Colet à sa porte, tout cela il s'en foutait, il en riait et s'en foutait, il en pleurait et s'en foutait, il n'était pas là. Il n'avait rien en effet, il était privé de tout, puisque *c'était dans sa tête.*

21

Le Carme déchaux sait pourquoi il a jeté ses souliers. Il sait pourquoi il passe déchaussé dans cette vie : il n'est pas d'ici, la vraie vie est ailleurs, il sait absolument que sous le souffle de Dieu les pieds nus de l'hiver se réchauffent, les cadavres et les âmes glacées se réchauffent. Nous passons, Dieu ne passe pas. Le Carme considère son Dieu avec beaucoup de sérieux. Ce sérieux ne prête pas à rire. Il emplit le cœur. Le masque de Croisset, Flaubert, lui aussi savait pourquoi il avait subrepticement jeté depuis longtemps ses babouches de soie, que pourtant il avait aux pieds ; il avait un dieu, en quelque sorte, sous l'œil de qui il passait déchaussé : le dieu du gros frère déchaussé dans ses babouches de soie, au bord de la Seine, était *l'art*. Nous passons, l'art ne reste pas. Il ne réchauffe guère. L'air du temps le souffle. Il nous donne seulement dans cette vie et dans l'autre ce mélange de chair et de carton-pâte que nous trouvons au bout de nos doigts, vaguement incrédules, vaguement satisfaits, effrayés, ce dégoûtant mélange que nous caressons à tâtons quand il nous arrive de vérifier s'il nous reste un visage derrière les longues moustaches. Flaubert considérait l'art avec beaucoup de sérieux. Ce sérieux prête à rire. Il serre le cœur. Ce serrement de cœur qui prête à rire, c'est celui qu'on éprouve devant la misère.

Flaubert est notre père en misère.

Nous sommes tous fils de cette misère, et sans doute elle a existé plus ou moins depuis que des hommes écrivent, mais il a donné le coup de pouce, et c'est avec lui qu'elle est devenue tout à fait patente et risible. Il a trouvé le masque, comme des Napolitains ont trouvé Pantalon et Polichinelle, comme le versificateur inconnu du *Roman d'Alexandre* a trouvé vers 1120 l'alexandrin français, comme le bien nommé Féréol Dedieu a trouvé en 1878 le porte-jarretelles. Il nous a fait le masque. Nous sommes tous fils de sa misère, qu'elle soit affectée et pourtant vraie dans Mallarmé, dans Bataille, dans Proust et Genet, dans Leiris et Duras, dans Beckett ; ou tellement bien affectée qu'elle devient comme plus vraie parce que réelle, vraie de vraie, dans Verlaine et Artaud. Dans Rimbaud, on ne sait pas. On ne sait pas, et on ne s'en soucie qu'à moitié, si la misère est vraie ou affectée dans Céard, dans Barbusse, dans Bove, dans Chardonne et Guérin, dans Guibert et Gary, dans tous ces petits noms d'oiseaux qu'on ne lit plus guère. Il peut arriver encore que cette misère soit tellement déniée, tellement redoutée, planquée et cadenassée, qu'elle vous revienne sur le tard de plein fouet dans la gueule, justement par le truchement de Flaubert, ainsi qu'il arriva à Sartre.

Le sérieux avec lequel nous considérons la littérature serre le cœur.

Quelques semaines après sa *Méditation sur la mort de Marie*, Maurice de Guérin s'imagina avec délice métamorphosé en arbre : « S'entretenir d'une sève choisie par soi dans les éléments, s'envelopper, paraître aux hommes puissant par les racines et d'une grande indifférence, ne rendre à l'aventure que des sons vagues mais profonds, tels que ceux de quelques cimes touffues qui imitent les murmures de la mer, c'est un état de vie qui me semble digne d'efforts et bien propre à être opposé aux hommes et à la fortune du jour. »

Ce feuillage n'est pas un masque. Il n'est pas une misère.

On ne peut pas dire non plus qu'il est vraiment sérieux.

Mais c'est un but sérieux. C'est un état de vie qui me semble digne d'efforts. Écrire *Madame Bovary* et *Saint Julien*, ne rendre à l'aventure que des sons vagues et profonds, devenir un arbre que le vent étreint et berce, c'est un but vers lequel on peut s'efforcer ; par le plus humain des moyens, qui est le langage ; être sorti de l'humanité et proférer des sons de feuilles, de gong, d'avalanches, sortir de l'humanité et la surplomber, la couvrir de son ombre, la couvrir de son bruit, l'enfouir sous son feuillage, cela est digne d'efforts.

Le feuillage, c'est le livre. Le corps est de bois.

Le curé de *Bouvard et Pécuchet* affirme que le Grand-Lama du Tibet se fend les boyaux, pour rendre des oracles. Voilà du sérieux.

Rendre des oracles, en effet, c'est bien la seule chose qui puisse nous faire écrire. On appelle oracle une parole au-dessus de celle des mortels, quoique énoncée en termes de mortel, qui s'autorise d'elle-même, de son énonciation, qu'elle appelle les dieux. Pour sérieusement appeler dieux sa propre parole, il faut se fendre les boyaux. Pour sérieusement appeler littérature sa propre parole, il faut se coudre le masque à pleine figure, sans anesthésie.

Huet, évêque d'Avranches, frère ennemi de Boileau, frère précoce de Bouvard et de Pécuchet, avait lu vingt-quatre fois les Saintes Écritures en langue hébraïque; chaque mois d'avril il relisait Théocrite, chaque automne *Les Géorgiques*. L'abbé d'Olivet avait fait à son sujet un petit calcul, d'où il résultait que, de tous les hommes qui avaient existé jusqu'ici, c'était Monseigneur d'Avranches qui avait le plus lu. Ce lecteur, ce fou, cet impotent à masque de carton-pâte et de chagrin, Huet, écrit mystérieusement, un jour sans doute qu'il essaie en vain d'arracher le masque: « La galanterie, le bel-esprit, la philosophie, la théologie elle-même, ne sont que des manières de jeux savants et subtils que les hommes ont inventés pour remplir et animer ce temps si court et pourtant bien long de la vie ; mais ils ne s'aperçoivent pas assez que ce sont des jeux. »

Avant Flaubert, Joseph Joubert a pensé le *livre en style*, le texte imparable qu'on bricole en même temps que la pose, le masque de bois cousu à même la chair – comme d'ailleurs l'ont pensé Pascal, Rousseau, Chateaubriand, quoiqu'ils aient laissé un peu de jeu entre le masque et la peau. De la Perfection, bizarrement pensée comme entité géographique, Joseph Joubert écrit : « Je prétends ne plus rien écrire que dans l'idiome de ce lieu. » C'est un lieu périlleux. C'est un lieu pourri au bord de la Seine derrière des peupliers, des tilleuls, où la Seine et les peupliers disparaissent. C'est un lieu où on parle *pour son bonnet* l'idiome ineffable, olympien, calme, fou de rage sous le masque de bois, derrière les moustaches de clown.

Dans le livre posthume de Daniel Oster, je lis : « On finit parfois par ne plus comprendre de quoi il s'agit dans le système littérature. C'est quoi ? De quoi ça parle ? C'est à quel sujet ? Qui c'est qui cause ? Qu'est-ce que tout ça peut bien nous faire ? »

De ce questionnement éperdu, de ce déboussolage, peut-être de la mort de Daniel Oster, Flaubert est coupable. Finis, les jeux savants et subtils. Maintenant il nous faut le texte absolu, *la vérité en littérature*, le texte qui tue, la prose parfaite, tout cela proféré derrière le masque de bois. La littérature *nécessaire*, comme le sont la mort, le travail, les larmes. De quel droit nous contraindre à cela ? Nous ne travaillerons jamais. Nous n'écrirons pas. Nous ne savons plus pleurer. Mourir, nous le voulons bien.

Qu'il n'y ait pas de *bonne* littérature, qu'on déduirait par opposition à une autre, mauvaise, c'est suggéré dans *Madame Bovary*. Homais affirme en effet qu'il existe de la mauvaise littérature, et on sait que tout ce que dit Homais relève de l'opinion, de la bêtise, de ce qui ne doit pas être. Voici : « Certainement, continuait Homais, il y a la mauvaise littérature comme il y a la mauvaise pharmacie. » D'où peut-être on peut tirer cet axiome : quiconque postule qu'il y a de la mauvaise littérature, et aime cette idée, n'écrira jamais de bonne littérature.

De Palestine, Flaubert écrit à Bouilhet que, à l'endroit où Jean baptisa le Christ, le Jourdain a peut-être la largeur de la Touques à Pont-L'Évêque. Le désert est âpre, sans la voix de Jean-Baptiste. Le désert est vaguement ridicule. La Croix est un corps de bois. Les pommiers normands sont de bois. Le monde est un bois mort. Où est le feuillage, où est la Parole, où sont passés les sons vagues et profonds qui donnent du sens aux hommes et des feuilles parlantes aux cimes des forêts ? Dans la phrase parfaite ? Dans la phrase qui boite ?

Polyte, le petit valet de l'hôtel du Lion d'or, est ce pied-bot malencontreusement opéré par Bovary sous la férule d'Homais et qui gagne à cette opération une amputation de la cuisse, dans de grands cris, et une jambe de bois. C'est un être ingénu et appliqué, qui gambade avec vaillance sur la jambe de bois comme il l'avait fait sur le pied bot. Les boiteux, les bancals, les *banban,* scandent souvent de leur rythme sommaire les œuvres parfaites, l'Achab de Melville, le Long John Silver de Stevenson, la mère du narrateur de *Mort à crédit.* Il me semble qu'il y a aussi une patte folle dans *La Recherche,* peut-être Charlus. On entend ce rythme risible, mais qui serre le cœur, on l'entend énoncé en phrases parfaites, on l'entend bousiller en douce la phrase parfaite : dans les vaticinations d'Achab, dans les grands imparfaits de Flaubert, les grands ternaires, la ronflette où le style tourne comme sur un tour, on entend soudain cette castagnette à deux temps qui est un bout de chair humaine greffé sur du bois mort. On éclate de rire.

Le pas du banban scande *Madame Bovary.* Dans ce pas le style fuit, le corps apparaît.

Du Camp, à propos du jeune Flaubert : « Il prétendait qu'il avait un battement de cœur lorsque sur la couverture jaune d'un volume il apercevait le *g* de Victor Hugo. » Ce sont vraisemblablement les livres jaune d'or des éditeurs Charpentier et Fasquelle. Le cœur de ces jeunes gens bat. Le grand *g* de la gloire est là, au cœur d'un nom et dans leur avenir, c'est le *g* de sang, le *g* de gentilhomme et de galop. La devanture du libraire est sortie devant la porte sous des arbres. Des rayons de soleil jouent sur le livre jaune. L'or à travers les feuilles tremble sur l'or du nom. Les jeunes gens tremblent, demain sera beau, les femmes, les livres, les tilleuls, l'or de leur propre nom. Flaubert prend Du Camp par le bras, ils se penchent sur le *g* de Victor Hugo. C'est le *g* de gueule, de piège.

Je suppose un homme probable. Je le fais naître à Rouen, je l'appelle Gustave Flaubert. Je lui accorde une bonne famille, père barbichu et occupé, mère disponible. Je fais que ses parents lui donnent de l'amour et qu'il donne à toutes choses la curiosité, le cœur, la joie, l'allant. L'ingénuité. Je le doue d'un corps de colosse, de géant, et dans ses jeunes années d'une beauté blonde, irrésistible – vite flétrie, mais on ne peut pas tout avoir. Je lui offre le pouvoir et l'énergie de plaire à ses semblables, hommes et femmes, de se donner à eux et de les recevoir en retour, de les faire rire et pleurer, de délier sans compter les cordons de son cœur. J'ajoute au trousseau beaucoup d'orgueil, la vanité, la forfanterie, la paresse, les cupidités, un brin d'hystérie. Je lui donne dès l'enfance une passion assez largement partagée : le goût des lettres. Je suis obligé de lui donner avec, car c'est dans la même panoplie, ou dans la même pochette, la volonté de triompher en ce monde par les lettres.

Ici, je complique le jeu : je lui envoie dans les jambes ce boulet qu'ils ont tous traîné, ce père impossible, qui les a rendus enragés de jalousie, depuis Lamartine jusqu'à Bloy, ou enragés de dénégation, de feintise, depuis Baudelaire jusqu'à Zola : Victor Hugo ; ce monstre, qui trouvait le moyen de vivre comme quatre et d'écrire comme dix, comme cent, en même temps ; qui était au four et au moulin, à la fois à la droite du Père et dans les légions de Satan, dans l'alexandrin et dans la prose, chez les filles et à Guernesey ; qui intégrait dans son vers tout ce qu'on pouvait écrire par ailleurs et l'accommodait à sa façon, le dépassait, sans sourciller ; le Crocodile, pour qui tous les écrivains de son temps n'étaient que petits poissons pilotes, oiseaux pique-bœufs, et qu'il traitait en conséquence avec grande mansuétude, grande patience et indifférence.

Entre l'appât des lettres et l'incommensurable obstacle Victor Hugo, je le mets dans un piège.

Je lui accroche d'autres boulets moins épiques : avec la complicité de son père barbichu je lui fais faire des études de droit, discipline qu'il répudie en secret, comme il aurait d'ailleurs répudié toute autre discipline ; je lui cherche un moyen de s'évader en douce de cette discipline, sans rompre de front avec le barbichu certes, mais sans s'avouer non plus à lui-même qu'il va être obligé d'écrire, c'est-à-dire de devenir le Grand Crocodile, la suprême instance, ou rien, bien moins qu'un avocat – un littérateur, un pique-boeuf, un laquais, une putain du bruit public. Je lui trouve ce plan d'évasion : et donc je lui envoie le grand *fading,* la fuite sous forme de crise de nerfs dans une voiture à la sortie de Pont-L'Évêque la nuit, crise qui met fin aux études avec la bénédiction des barbichus et vous sacre à jamais grand malade, c'est-à-dire libre de ne rien foutre.

Boulets encore, ou ailes, je ne sais : je mets dans la corbeille le pays d'Auge, l'amour et le mépris mêlés pour le pays d'Auge, le creux d'entre Caen et Falaise, ses pauvres, ses demi-riches, ses vaches ; le goût de l'Orient et de l'antique, ça ne mange pas de pain ; à Trouville, village de pêcheurs, dans un hôtel de Marseille, dans un bordel d'Égypte, chez le sculpteur parisien Pradier, j'accorde à ses imaginations ou à sa jouissance quatre Jocastes exaspérées, vieillissantes, viandées, saintes-nitouches, obsédées, chaudes, que j'appelle Élisa, Eulalie, Kuchuk, Louise ; qu'il en jouisse ou non, je lui accorde la faculté d'en jouir interminablement par la pensée, le regret, la colère, la masturbation digitale et mentale, comme on jouit habituellement de Jocaste.

Je trouve un boulet plus rare : je l'encombre d'une bizarre passion, ou phobie, de la bêtise, et d'une spéculation farfelue qui hausse la bêtise au rang des catégories ou des essences. Mais cette essence négative hypostasiée si haut, je ne peux pas empêcher qu'elle rejaillisse un peu sur lui, qu'elle le rende un peu bête, bovin, lourdingue, flaubertien. Et pour couronner le barda, je lui attache la casserole de l'encyclopédisme, érudition forcenée, bibliomanie, le grand méli-mélo des vessies de ce monde avec ses lanternes, le sac informe où sont fourrés en vrac la personnalité de Shakespeare, la couleur du drapeau du Mozambique, Chéops et le biscuit de Saxe, l'Évangile de Jean et les attributions précises de chaque masque napolitain.

Encombré de toutes ces gentillesses je lui permets d'écrire, c'est-à-dire de griffonner à longueur de jours des cahiers d'étudiant en se montant *in petto* le coup du Grand Auteur. Ceci pendant cinq ans, dix ans. J'ai l'indulgence de lui permettre de terminer l'interminable fatras qu'est la première version de *La Tentation de saint Antoine*. Je le laisse savamment espérer, douter, triompher, s'enorgueillir, se rengorger, trembler, au milieu de ce fatras qui doit faire de lui Victor Hugo. Enfin il est temps, je mets le holà : un soir d'automne, par la voix de ses amis Bouilhet et Du Camp, je lui dis que tout ça est nul.

Cette vie était probable.

Ce sort depuis deux siècles au moins échoit à mille hommes par génération, et le chiffre va croissant.

Et puis arrive l'improbable, et je n'y suis pour rien : il devient ce qu'on appelle Flaubert. Il s'enferme, il bouche tous les trous. Dans un même mouvement il fabrique le livre et le masque qui va avec.

Il a gardé l'ingénuité et l'énergie. Il a ajouté quelque chose.

En mai 1882, Léon Guiral explore le royaume téké du Congo sur quoi règne le roi Makoko. Comme avant lui Brazza, il s'étonne du plaisir extrême qu'éprouve Makoko à souffler dans un sifflet de quartier-maître de marine. Les matelots rient beaucoup. Makoko très sérieusement s'époumone, court vers les bois et souffle, se tourne vers les huttes et souffle, renverse la tête et souffle vers le ciel. Guiral sourit. Ni les matelots ni Guiral ne peuvent savoir que Makoko est le maître des esprits et qu'il est le seul à pouvoir communiquer avec eux par des sifflements aigus. L'art est un sifflet de Makoko.

À Louise Colet, en février 1852 : « Voilà pourquoi j'aime l'art. On y assouvit tout, on y fait tout, on est à la fois son roi et son peuple, actif et passif, victime et prêtre. » On est la prose de Dieu et sa dérision, la perfection et son effondrement, le livre et le contrelivre, le baiseur et le baisé, la vache et le merlin. Nul ne viendra vous prendre par-derrière. On est abstrait et intangible comme la prose absolue. On est de bois.

À propos de l'écrivain isolé dans la littérature abstraite, l'homme dans la force de l'âge qui perd sa vie en chicanes grammaticales, en petites sentences littéraires, en minuscules peines ou triomphes d'amour-propre, Chateaubriand écrit :

« Tout cela est bien peu digne d'un homme ! N'est-il pas assez dur de ne servir à rien dans l'âge où l'on peut servir à tout ? » Servir, nous le voulons bien. Mais où est la guerre, où est Dieu, où est le sérail de quatre-vingt-dix-neuf épouses, où sont les royaumes et les apanages ? Où est l'humanité souffrante et régénérée, où sont les révolutions et les charités passionnées, où est Jean Valjean ? Allons, il ne reste que la prose, le texte qui fait mal et fait jouir de cette douleur, le texte qui tue.

La voiture qui fait le service de Rouen à Yonville, dans *Madame Bovary*, s'appelle L'Hirondelle. Elle a pour cocher le bonhomme nommé Hivert. L'hirondelle amène l'hiver. Le soleil amène la nuit, les fleuves coulent vers leur source, voir clair c'est devenir aveugle. Nous sommes dans l'Apocalypse, n'est-ce pas, puisqu'il faut bien que ce monde crève, puisque *c'est dans sa tête*. Puisque c'est dans la nôtre.

C'est dans ce coche d'apocalypse que la pauvre Emma arrive sur le lieu du supplice, Yonvillel'Abbaye. La littérature conduit le coche. Il y a dedans une jolie femme brune qu'on va faire souffrir jusqu'à la mort. Nous sommes tous à la sortie du coche, le souffle un peu court. Quand elle descend on voit sa cheville.

Pour cette Cosette, où est Jean Valjean?

À la Chambre de Commerce et d'Industrie du Loiret, une des rares fois de ma vie, j'ai travaillé. Je donnais des cours de français sommaire pour je ne sais quels stages d'insertion et de charité truquée, dans la main doucereuse du capital. Puisqu'il fallait bien chercher des exemples d'emploi de la langue, j'en trouvais entre autres dans Flaubert. Il y avait dans un de ces stages une jeune femme charmante, blonde, rêveuse, interloquée et assidue. Elle prenait des notes avec soin. Je parlais parfois de *Madame Bovary*. À la fin du stage, ces jeunes gens m'invitèrent à une soirée. C'était en avril, il y avait des lilas, je dansai avec la jolie blonde. Elle me dit que ce qu'elle avait préféré, de toutes les belles choses que je leur avais montrées, c'était *Madame Beaumari.*

Qui la fait souffrir aujourd'hui jusqu'à la mort? Quel beau mari, quels beaux amants?

Madame Bovary est toutes les femmes. C'est ma mère. C'est les pleurs des femmes, la frustration terrible, qui toujours va déborder, déborde. Leroi-Gourhan écrit que, dans l'art des cavernes, signe féminin et blessure sont interchangeables : pour signifier la même idée, l'artiste, le penseur, *l'écrivain* paléolithique pouvait indifféremment figurer une vulve, une vache transpercée, le sang qui dégoutte d'une flèche. La vulve, le dol, la bête sous le merlin, le sang, sont synonymes. Ce signe, on peut l'appeler Emma Bovary. C'est la fente du ventre compliquée de pleurs. *Mulier dolorosa.*

« Ils demandaient du vin, des viandes, de l'or. Ils criaient pour avoir des femmes. Ils déliraient en cent langages. » Ainsi sont les Barbares, les clairs et bons Barbares de *Salammbô*. Ils demandent les seules choses qu'on puisse décemment demander au monde. Leur visage est nu et avide, ils n'ont pas de masque. Ils ne demandent pas de papier pour faire un livre.

Nos forces sont au-dessus de notre destination, et cette disproportion nous accable. En 1790 Benjamin Constant rencontre à La Haye un Piémontais, le chevalier de Revel, diplomate pour la Sardaigne. Ce chevalier est atteint d'une folie très spirituelle : « Il prétend que Dieu, c'est-à-dire l'auteur de nous et de nos alentours, est mort avant d'avoir fini son ouvrage ; qu'il avait les plus beaux et vastes projets du monde et les plus grands moyens ; qu'il avait déjà mis en œuvre plusieurs des moyens, comme on élève des échafauds pour bâtir, et qu'au milieu de son travail il est mort ; que tout à présent se trouve fait dans un but qui n'existe plus, et que nous, en particulier, nous sentons destinés à quelque chose dont nous ne nous faisons aucune idée ; nous sommes comme des montres où il n'y aurait point de cadran, et dont les rouages, doués d'intelligence, tourneraient jusqu'à ce qu'ils se fussent usés, sans savoir pourquoi et se disant toujours : puisque je tourne, j'ai donc un but. »

Le jeune Flaubert est plein de force, les rouages impeccablement tournent. Comment bricoler le cadran où tout cela sera visible, les énergies à renverser des montagnes, les rythmes violents, les désirs à emboucher l'Etna, les fureurs homériques ? Ce sera le livre, le petit cadran arbitraire et aveugle formaté depuis Homère. On mettra au milieu le *g* de Victor Hugo, on fera tourner autour la fente blessée et les vaches, les jambes de bois, les petites filles délaissées. On y mettra la bêtise, le refus et le masque de bois. On y mettra l'arbre oraculaire. On fabriquera du Grand Auteur. L'heure arrêtée du cadran marquera : Grand Auteur.

On s'usera vite. On mourra de mort subite au milieu de l'œuvre, comme Dieu le Père.

On voit au musée Carnavalet une salle retirée, en sous-sol, où le visiteur s'arrête peu. C'est la salle du référent ultime, la salle des grands auteurs, où dorment les plus proches répliques de leurs corps, celles qui leur ont collé pour de bon à la peau. C'est la salle des masques mortuaires. Ils sont en plâtre. Ils sont tous là jetés en vrac, empilés dans des caisses et des étagères, depuis Pascal jusqu'à ceux d'avant 14, enfin de ces temps où cette pratique burlesque avait cours. Certains on ne sait pourquoi sont un peu mis en valeur, accrochés ou redressés, Chevreul ou Louis-Claude de Saint-Martin, Rousseau. Flaubert sous la moustache de clown. Celle de Nietzsche n'est pas mal non plus. Ils sont rarement passés au plumeau, ça n'intéresse personne, et la femme de ménage doit penser qu'il y a des limites. Ça sent la poussière, le biberon rance, la mort. C'est la salle de la postérité. On est loin des grands arbres.

Il existe un moyen de sauver Flaubert – de sauver la vie de Flaubert, sa prose n'a pas besoin de moi. C'est de supposer qu'il a menti, qu'il n'a jamais fait le moine ni le forçat. C'est de supposer qu'il n'a rien fait de ses dix doigts la plupart du temps à Croisset, qu'il a joui de la Seine, du vent dans les peupliers, de sa petite nièce mangeant des confitures, des grandes vaches dans les champs, *mugitusque boum,* des grandes femmes de temps en temps, de la débauche qu'est la lecture, de la luxure qu'est le savoir ; qu'il a joyeusement cueilli des tilleuls pour faire de la tisane, joyeusement fait défiler dans sa tête des nomenclatures phéniciennes ; et que çà et là, de chic, pour marquer le temps, pour épater les Parisiens, pour donner du travail à ses flagorneurs dans Paris, il soit tout de même monté dans son cagibi et y ait écrit quelques phrases parfaites qui lui venaient tout naturellement. J'aimerais pour ma part que s'il revenait, s'il dépliait devant moi les grosses moustaches, il me dise ce que disait sur le tard Lamartine : « Le bon public croit que j'ai passé trente années de ma vie à aligner des rimes et à contempler les étoiles. Je n'y ai pas employé trente mois, et la poésie n'a été pour moi que ce qu'a été la prière. »

Il n'y aurait peut-être qu'une preuve possible de l'excellence de l'œuvre, qu'un moyen de pulvériser une bonne fois le masque, qu'une ratification surnaturelle de la toute-puissance de l'écrit : ce serait d'en mourir de jouissance. L'artiste parfait meurt de la beauté de son chant. Cet artiste parfait, parfaitement justifié et ratifié, existe dans *Madame Bovary,* dans la scène burlesque où Emma et Léon exaspérés, fous de leur corps, sont emportés dans une visite guidée de la cathédrale de Rouen, englués dans la parole du Suisse : « Voilà, fit-il majestueusement, la circonférence de la grande cloche d'Amboise. Elle pesait quarante mille livres. Il n'y avait pas sa pareille dans toute l'Europe. *L'ouvrier qui l'a fondue en est mort de joie.* »

Cette cloche de vingt tonnes tombée du ciel que son auteur prend sur la gueule, c'est le texte qui tue.

16 juillet 1852. Il a fini dans la nuit la première partie de *Madame Bovary*: « Le vendredi matin, quand le jour a paru, j'ai été faire un tour de jardin. Il avait plu, les oiseaux commençaient à chanter et de grands nuages ardoise couraient dans le ciel. J'ai joui là de quelques instants de force et de sérénité immense. »

Ce que chantent les oiseaux c'est que pour l'instant le livre est fini, le livre est suspendu. Le recours en grâce est accepté, non, on ne peut tout de même pas ôter le masque, il tient trop bien, mais on peut oublier qu'il existe et sentir le vent de l'aube entrer par les joints. On n'est pas de bois, on jouit des arbres. Le monde au-delà de la Seine est fait de chaumes d'or, de javelles éclatantes, de hêtraies lointaines où le cœur bat. Dans les laiteries des fermes des petites filles trempent leur doigt dans du lait, l'écrèment; sous le regard d'un homme une fille rit d'être comblée tout à l'heure, des monstres humains oublient qu'ils sont des monstres. Le monde se passe de prose.

L'OISEAU

« Quand il bat large, il est démesuré ; quand il se repaît, il fait vite ; quand il frappe, il met à mal ; quand il donne du bec, il tranche et quand il fait prise, il se gave. » Je dois cette phrase parfaite à la traduction d'un traité de chasse arabe. La chose fulgurante, mortelle et scélérate dont il est question, qui bat, tranche et fait vite, c'est le faucon gerfaut. La phrase citée est au centre exact du livre, et j'aime penser qu'elle en est le secret apogée.

Vers 1370 Muhamad Ibn Manglî, fils de mameluk et gentilhomme de la garde du sultan, écrivit au Caire son *Commerce des grands de la terre avec les bêtes sauvages du désert sans onde.* Il avait soixante-dix ans. Il avait déjà donné quatre traités de guerre, dont trois sont connus ; il est bon que du quatrième nous ne connaissions que le titre : *L'Aiguade d'eau douce pour abreuver les gens de guerre.* Son traité de chasse, comme ses autres livres, est rédigé sur la commande du sultan al-Malik al-Achraf Chabân, son maître. Son activité de plume est peut-être contingente, car il était avant tout un homme de cheval et de sabre ; ou elle ne l'est pas, et il se peut qu'il n'ait chevauché et sabré que pour pouvoir écrire qu'il l'avait fait. Il y a deux sortes d'hommes – ceux qui subissent le destin, et ceux qui choisissent de subir le destin. Ibn Manglî était du nombre des seconds, si j'en crois son goût pour cette phrase du Coran : « Celui qui a cru trouver la marque d'une grâce divine en quelque occupation, qu'il s'y maintienne. » Lui, il savait apparemment faire avec grâce trois choses : chasser, se battre et employer le mot propre (ces trois choses n'en sont qu'une, obéir au sultan, qui est ici-bas ce qui se rapproche le plus du destin). Il persista dans ces trois occupations. Il avait guerroyé sous le croissant vert. Il avait chassé l'éléphant. Il avait porté sur le poing gauche des faucons. Il nomma chaque acte du faucon, chaque instant de chaque mouvement du faucon, chaque instant de chaque repos du faucon. Il choisit pour ce faire les mots que la tradition avait choisis avant lui.

Je l'ai dit : il avait soixante-dix ans quand il écrivit le traité de chasse, qui porte à son sommet la terrible phrase du gerfaut. Sa vue avait baissé, son bras n'était plus sûr : il n'usait plus que de faucons pèlerins, il ne pouvait plus lâcher ni recevoir le grand gerfaut qui, écrit-il aussi, vous démet quasiment le poignet quand il saute au poing. Il pensait au temps et à la mort qui y met fin. Sous les acacias, dans le désert, dans les palais et sous la tente, il pensait à la sorte de mort qu'il allait choisir de subir. Elle se fit connaître dix ans plus tard.

Sur le détail de cette mort, la tradition et les arabisants sont partagés. Mais elle ne put venir à lui que sous trois masques. Derrière ces trois masques, il choisit le même visage.

Le 17 mars 1377, le sultan Châban avait festoyé en cercle restreint chez une chanteuse cairote amie ; à l'heure des chants et du bruit des fontaines dans l'après-déjeuner, des éléments factieux de la garde, des Circassiens, pénétrèrent dans la salle du festin et étranglèrent le sultan et sa suite. Peut-être Ibn Manglî était-il là, et un cordon de soie fut pour lui. S'il échappa, il est possible qu'à l'issue de cette brutale relève du pouvoir, il ait été relégué en Orient, à Alep, Naplouse ou Césarée, emprisonné dans ces Marches incertaines qu'assiégeait le sultan Mourad : il eut alors loisir d'écrire, peut-être des élégies, qui sont perdues ; il mourut par lassitude, comme la plupart. On suppose enfin qu'il put survivre au coup d'État, servir les nouveaux maîtres, et qu'il succomba à une chute de cheval, lors d'une chasse au vol.

Peut-être éprouva-t-il la peur sordide quand entrent les tueurs et que le chant s'arrête ; il s'épouvanta ou s'émerveilla de la précision des gestes, de leur rapidité et de leur justesse, de l'élégance du bras bouclant la cravate de soie sur une nuque, du bruit sec de la nuque qui casse, et on passe à une autre nuque, comme en dansant. Ou bien couché dans la fraîche citadelle d'Alep, dans une cellule de prince où il y avait de tout à foison, des roses et des livres, et même son arc et son casque à mailles, mais pas de fenêtre, car c'était une cellule tout de même – seulement un haut vasistas par où le chant du muezzin et les bruits du marché entraient, par où le soleil entrait à flot mais ne touchait pas Ibn Manglî, peut-être là agonisa-t-il longtemps d'un mal vulgaire, gémissant et admirant le soleil inaccessible et l'irrésistible justesse d'attaque du bec qui lui mangeait le foie. Ou entre désert et point d'eau parmi des cavaliers, à terre de tout son long, les reins brisés, il vit dans le ciel démesuré la maîtrise meurtrière des faucons, la débâcle servile des hérons et des outardes. Peu importe : quelle que fût sa mort, il choisit d'y voir le plus grand des faucons.

Il vit l'apogée de son livre. La phrase écrite jadis plongea comme un faucon lâché. Il comprit que ce n'était pas tout à fait du gerfaut qu'il parlait, c'était de la mort. Cet être fatal, tranchant, pressé, tout petit et sans mesure, c'était sa mort. Chez la chanteuse du Caire, dans Alep, près du point d'eau, il vit descendre le faucon gerfaut. Il tient la nue, il tombe comme une pierre, il vous casse le poignet. Ibn Manglî choisit de le regarder. Ce qui lui saute au poing, c'est sa mort. Quand elle bat large, elle est démesurée. Il l'accueille, il la caresse. Elle est toute petite. Il dit : *quand il donne du bec, il tranche et quand il fait prise, il se gave.* Elle se gave. La nuque casse au Caire. Le sang jaillit par la bouche et éclabousse les murs blancs d'Alep. Au bord de l'eau, la moelle épinière se rompt, le cerveau est de la viande morte.

Je ne verrai jamais le visage qui fut Ibn Manglî. Je verrai le gerfaut.

L'éléphant

L'État du Mississippi est le lieu de l'action. Juillet dans le Sud. L'année 1931. Dans le cabinet de James R. Cofield, photographe. Je ne sais pas si le kodak archaïque est sur son grand trépied, ou dans les mains de Cofield. J'incline pour le trépied, puisque nous sommes en 1931, et aussi pour l'apparat, le crêpe noir, la hausse d'artillerie, le gros calibre. Dans la mire du gros calibre, assis, William Faulkner. Tweed en dépit de la chaleur, chemise dalton blanche ouverte sans ostentation, la pose artiste chic qui vient tout droit de Montparnasse via La Nouvelle-Orléans. Les bras croisés, mais pas comme à l'église, comme après le déjeuner. Dans sa main droite le petit sablier de feu, la très précieuse cigarette qui marque avec une intolérable acuité le passage du temps, qui réduit le temps à l'instant, la durée de combustion d'une cigarette étant comparable et cependant très sensiblement inférieure à celle de cette combustion complexe d'un corps d'homme qu'on appelle une vie. Donc, cette lucky strike de 1931. Et, comme née d'une lucky strike et d'un tweed, la fracassante apparition de William Faulkner.

Ni le photographe ni le modèle ne savent que de leur commerce étrange, copulation en quelque sorte, va naître le premier portrait mythologique de Faulkner. Mais nous, nous le savons. Nous connaissons cette apparition frontale, massive et franche de l'artiste en jeune bon à rien, en jeune *imperator,* en jeune *farmer ;* cette effigie autour de laquelle, comme dans un portrait écrit par Faulkner en personne, tous les qualificatifs indifféremment tournent, s'accrochent un instant, glissent, se transforment en leur contraire tout en ne changeant pas, avec du rien font de l'être et le défont, derechef le font, répètent *ad nauseam* l'incroyable erreur de la Création ; cette figure donc qui, comme n'importe lequel des Sartoris, des Compson, des Sutpen, des Snopes, est à la fois consternée et triomphante, puissante et veule, tragique et roublarde, indifférente mais fascinée, morne mais forcenée, intraitable mais infiniment corruptible – énorme et futile comme le sont, a-t-il écrit, les éléphants et les grandes baleines.

Tout cela n'est qu'affabulation de lecteur. Je veux revenir à la lucky strike de 1931 ; à cet instant où Cofield déclenche. Et puisque, à son insu ou pas, ce n'est jamais par hasard qu'un photographe appelle la lumière, l'éclair sur les nitrates d'argent, je veux savoir pourquoi à cet instant précis le doigt de Cofield fait le petit geste juste qui fabrique de l'icône avec une chair qui peut-être a la gueule de bois, mais qui à coup sûr a trop chaud dans son tweed et trempe une chemise dalton, en juillet dans le Mississippi. Je veux croire que ce qui l'y incite, peut-être le lui ordonne, c'est une infime variation dans le regard de Faulkner.

Faulkner a vu quelque chose que sous nos yeux il regarde toujours, et qui n'est pas Cofield, attendu que Cofield est mort et enterré, qui n'est pas le kodak depuis des lustres jeté au rebut, qui n'est pas vous ni moi, les lecteurs, les rhéteurs. Appelons ce qu'il voit : l'éléphant.

James McPherson, dans son histoire de la Guerre de Sécession, que le Sud appelle Guerre confédérée, James McPherson raconte que, d'un soldat qui voyait pour la première fois le feu, on disait : *il a vu l'éléphant.* Ce n'était pas n'importe quel feu ; c'était un feu tout à fait moderne, craché par les tout nouveaux obus à mitraille de l'inventeur Shrapnell, les mortiers géants de treize pouces à l'aisance de danseur, le fusil spencer à répétition et canon rayé, toutes choses face à quoi la durée de combustion d'une charge de cavalerie, avec sabres, étendards, plumets et tout le reste, était à peu de choses près comparable à celle d'une lucky strike. Toute une pyrotechnie effroyablement belle, impardonnable mais cependant indispensable au genre humain : la guerre, l'éléphant.

Cet éléphant spécifique, celui dont la trompe crache des boulets Armstrong et dont les oreilles se déploient en ailes de stuka, on sait que William Faulkner aurait passionnément aimé le rencontrer – qu'il a même prétendu jusqu'au cadavre l'avoir rencontré et combattu, dans le ciel de France à la fin de la guerre de 14, sous l'uniforme de la Royal Air Force. Mais Faulkner, qui fut aussi beaucoup d'autres hommes, fut entre autres, violemment et peut-être principalement, un imposteur : on sait aujourd'hui que son expérience de pilote se limite à quelques vols d'essai au Canada, et la guerre fut finie avant que son escadrille n'aille tâter de l'éléphant dans le ciel de Verdun. Ce n'est donc pas ce genre de guerre-là qu'il regarde, même si c'est elle qu'il fait semblant de regarder.

L'éléphant qu'il voit, que Cofield voit qu'il voit, c'est peut-être celui dont la grosse patte est levée au-dessus de nous dès que nous naissons, à qui pourtant nous sourions, et qui nous nourrit : c'est la famille, les filiations où le dernier-né est toujours le dernier des derniers, le hasard des croisements de la chair qui nous donne de la chair et nous refile en plus l'illusion que la chair n'est pas un hasard, mais du destin. Cette entité à deux sexes et à tête multiple qui vit en état de guerre, et dont la moitié mâle, écrit Faulkner, *with love hates and cohabits,* et dont la moitié femelle *with hate loves and cohabits;* cette entité qui chez les Faulkner, comme chez les Atrides et les Tartempion, était particulièrement gratinée : des hommes régressant un peu plus à chaque génération, piégés qu'ils étaient sous le modèle de fer d'un aïeul mythologique qui avait mis toutes les cartes dans son jeu et avait fait en sorte que toute chair mâle qui lui succéderait fût réduite à l'état de chair sans destin, puisque le destin, c'était lui et lui seul, l'aïeul. Il n'avait pas fait de détail et avait tout raflé : la gloire militaire, la compagnie des *Magnolia rifles* levée à ses frais, la bataille de Manassas enlevée aux côtés du général Jackson, Jackson le mythique, le mur de pierre, *Stonewall* Jackson – l'homme d'armes, c'était l'aïeul ; la virilité massive de la Frontière, stetson et six-shooter, c'était lui, qui avait abattu deux hommes en duel, l'un avant d'aller déjeuner, l'autre après le déjeuner – un autre déjeuner ; la richesse conquise, whisky, porc salé et mélasse descendant le Mississippi pour se convertir en billets verts dans sa banque à lui, c'était lui ; la gloire littéraire, *La Rose blanche de Memphis* écrite de chic et vendue par le moindre colporteur dans les États de Mississippi, de Louisiane et de Géorgie, c'était lui ; enfin le suprême dédain, le grand rire impeccable dans la culbute c'était encore lui, qui s'était laissé descendre pour avoir refusé de sortir son six-coups contre un minable. Tout cela pour aboutir à un jeune dipsomane cultivé d'un mètre soixante-trois, dans le cul-de-sac d'Oxford, Mississippi. La parenté, et plus précisément cette forme exagérée et coupable de parenté que Faulkner appelle le Sud, voilà le premier éléphant ; et il est cornaqué par le vieux colonel en grand uniforme, William Clark Falkner.

Restons encore un instant dans la famille, la famille endogame avec fureur, c'est-à-dire le Sud. Il n'y a pas que des aïeux morts et enterrés, quoique dressés tout empanachés sur votre route pour vous faire la peau. Il y a aussi de bizarres cris de vivantes dans la nuit, des mères et des petites cousines *ardentes cachées furieuses dans les bois sombres.* Le Sud est caché là, sous les crinolines et les tabliers, en somme au fond des grands bois. Mais c'est bien la grosse bête tout entière et dans toute sa brutalité, l'éléphant, et l'on peut voir une preuve burlesque de ce que j'avance dans ceci : en 1927, l'éditeur Liveright refusa un livre de Faulkner, où l'on voyait le Sud vaincu, sous la forme d'*étendards dans la poussière,* qui était justement le titre du livre ; l'étamine rouge aux treize étoiles blanches crucifiées sur la croix de Saint-André de la Confédération, le drapeau de

Caïn traîné dans la boue – or, à peine avait-il reçu la lettre de refus de Liveright que dans un inexplicable transport, Faulkner, comme il s'en est lui-même plusieurs fois expliqué, vit le Sud sous la forme de la petite culotte souillée d'une fillette grimpée dans un poirier, que ses frères cloués au sol regardent de tous leurs yeux. Elle, la fillette, regarde par la fenêtre une aïeule morte. Voilà donc où elle était passée, l'étamine confédérée, la chabraque de l'éléphant : dans un linceul de vieille et une culotte de petite. Et c'est peut-être cette plaisante métamorphose d'une guenille qui donne à Faulkner, le jour de la lucky strike, un début de sourire, mais pas plus : la petite culotte, après tout, s'appelle *Le Bruit et la Fureur*.

Il existe un très sommaire et archaïque moyen de remédier à cette double méchanceté des choses, ce double refus : n'être pas l'aïeul fondateur, et ne pouvoir toucher la culotte de la sœur. Ce moyen éléphantesque, par chance, porte aussi dans le Sud un nom de bête, *White Mule*, la mule blanche, dont une variante est le whisky de Bourbon. C'est la très simple et disponible gnôle. C'est une puissante rhétorique qu'on avale, et c'est en vous comme un shrapnell

64

et une petite fille. Ça sert à tout, ça a tous les effets et ça se passe de toute cause qui n'est pas l'acte de vider verre sur verre ; les contraires y tourbillonnent avec une telle violence qu'on ne peut plus les démêler, comme dans la grande rhétorique élisabéthaine. On est le grand-père et la petite fille, on est le cadavre, on est l'étendard, la guenille, on est le Sud. Et, comme cette fois on a avalé l'éléphant, on piétine en soi-même tous ses avatars merveilleux et détestables, tout ce qu'on veut être, tout ce qu'on redoute d'être, et tout ce qu'on est. Cette danse contre-nature a l'avantage en outre de contenir son propre châtiment : on tombe au moins sous l'éléphant pour de bon, il replie ses grosses pattes et s'assied sur vous toute la nuit, ses défenses fichées dans le plancher de part et d'autre de votre tête. Ce magicien, ce danseur de six tonnes, a le pouvoir aussi de hâter les combustions, et de rapprocher autant que faire se peut votre existence de celle d'une lucky strike. Et cet éléphant-là je suis sûr que Faulkner le voit, pas seulement sur cette photographie, mais dans toutes : il le cornaque ou il est affalé sous lui, c'est selon ; mais c'est son compagnon, son proche, son bon ange et son tueur – et il est toujours dans un coin de la photo. Peut-être dans la photo de Cofield, à trente-quatre ans, voit-il qu'il en mourra – enfin pas tout à fait : la mort, avec une merveilleuse justesse prendra pour prétexte le cheval nommé Stonewall, oui, comme Stonewall Jackson, le héros bestial de Manassas, le général des armées de Caïn, l'ami de l'aïeul. Donc ce mur de pierre sur quatre pattes le foutra par terre et il mourra en peu de jours, le vieil éléphant sur la poitrine.

Stonewall. Pour un jeune dipsomane cultivé dans le cul-de-sac d'Oxford, il existe un autre mur de pierre, méchant, secret, fermé. Les briques en sont des livres, c'est la bibliothèque – enfin l'idée que se fait de la bibliothèque un petit jeune homme réputé raté, pochard et mythomane, et qui l'est, mais qui voudrait devenir un grand écrivain et qui dans ce but lit des journées entières, avec passion et terreur. La littérature s'appelle mur de pierre. Elle ne porte pas ce nom pour tout écrivain : certains s'y ébattent comme des papillons, les livres leur sont des fleurs et non pas des briques. C'est qu'ils ne survalorisent pas les modèles, les maîtres, ils savent que les maîtres étaient de la même chair qu'eux, d'essence et de substance semblable. Ils sont des hommes, ils font des livres avec des moyens d'homme. Ils ne voient pas en quoi la littérature serait sommée de dire ce qu'aucun maître n'a dit, ce que personne ne peut dire, c'est-à-dire ce que dirait Dieu s'il apparaissait au-dessus d'Oxford, Mississippi. C'est qu'ils sont bonnement humains, communautaires, citoyens ; ils se respectent eux-mêmes et, pour respecter l'autre, ils n'ont nul besoin de le transformer en éléphant. Mais un pochard raté et mythomane d'Oxford sait que, pour lui, ça ne marchera pas, l'éternelle communauté des arts et lettres, les échanges courtois et créateurs entre pairs morts ou vivants, le respect de soi et des autres ; il sait ou plutôt croit, que pour combler l'écart, pour faire voler en éclat ce mur inexpugnable derrière lequel s'ébattent, sommeillent et chargent l'éléphant Shakespeare, l'éléphant Melville, l'éléphant Joyce, on n'a d'autre ressource que de devenir soi-même éléphant. Cela, cette idée de la littérature, porte un très vieux et pesant nom, depuis le Pseudo-Longin : c'est le Sublime. On sait que, pour qui s'enferre dans la catégorie du Sublime, pour qui fait l'ange, ça tourne mal en général, et on ne fait que construire mur sur mur, jusqu'au silence définitif. Pas pour Faulkner.

Il est calme après tout, ce regard qui voit l'éléphant en 1931. Son maître est apparu en lui, il se rit des rois et de ceux qui ne sont pas rois, comme dit un autre prisonnier du Sublime qui a cornaqué d'une main de fer le Sublime, Fernando Pessoa. Il est calme, il a écrit *Le Bruit et la Fureur,* il est le grand rhéteur, l'éléphant. Son maître est apparu en lui, massif et rhétoricien comme une cuite. Il a inventé une prose en forme de bulldozer dans laquelle Dieu sans trêve se répète. La combustion de la prose est aussi impeccable que celle d'une lucky strike. La lucky brûle doucement son doigt. Sur le drap noir derrière lequel a disparu Cofield il lit que dans quarante ans Flannery O'Connor dira à Coindreau : quiconque lit Faulkner est semblable à quelqu'un qui serait endormi sur les rails du chemin de fer quand le *Birmingham special* passe. Faulkner est endormi sur les rails, et il est en même temps le *Birmingham special.* Il voit tout cela, ceci, puis cela. La lucky n'en a plus pour longtemps. Cofield déclenche.

LE CIEL EST UN TRÈS GRAND HOMME

Il m'est rarement arrivé de prier. Au début de septembre 2001, ma mère, qui pendant sa vie d'adulte avait tâché d'être mon père et ma mère, qui dans sa grande vieillesse aurait pu être ma fille, ma mère se mourait à l'hôpital de la petite ville de G. Il y avait des arbres énormes par sa fenêtre, une muraille de feuilles. Chaque journée de cette fin d'été était belle, le soleil variait à n'en plus finir sur ce mur vert, sous les yeux d'une mourante qui avait aimé les arbres. Je la voyais chaque jour, mais quand j'arrivai le 7 septembre, je vis que ça y était (mon esprit le vit, mon cœur ne pouvait pas suivre) : elle râlait, elle ne parlerait plus, elle était entrée dans ce moment de l'âme errante que les Tibétains appellent le *bardo*. Je m'assis près d'elle, et, au bout d'un moment que je suis incapable de mesurer, heures ou minutes, je me levai en coup de vent, sortis, et courus dans une librairie pour acheter des livres. Je pris le temps de choisir. Je revins avec le volume XXIII de la *Carte archéologique de la Gaule Romaine*, le tome deux des *Dits et écrits* de Michel Foucault dans l'édition Quarto, et un troisième livre que j'ai oublié. Je courais encore, comme le lièvre de la fable. Il pouvait être six heures après midi. Quand j'entrai dans la chambre de ma mère, elle ne râlait plus, elle ne respirait plus, sa main que je pris était encore tout à fait tiède. L'infirmière appelée ayant ratifié sa mort, on me laissa. Mon esprit seul était là et constatait, comme tout à l'heure. Les livres étaient bien sagement posés au pied du lit dans leur petite pochette, près des pieds des cadavres qui sont tout petits. La muraille verte était bonne à l'esprit. L'esprit était tiède, lui aussi, comme il l'est toujours. Je devais prier, appeler le cœur et l'âme, que cette femme méritait. J'essayai une de ces choses apprises au catéchisme, sans doute le Notre Père, je m'arrêtai très vite. Et puis le texte, la prière, s'imposa, venue de très loin, comme envoyée par un autre, et je la dis haut, pour que la morte l'entende, en quelque sorte : « Frères humains qui après nous vivez, n'ayez les cœurs contre nous endurcis, car si pitié de nous pauvres avez, Dieu en aura plus tôt de vous merci. » Le cœur et l'âme accoururent, je dis le poème d'un bout à l'autre comme il doit être dit, dans les larmes, je me tins debout devant le cadavre de ma mère comme on doit s'y tenir, dans les larmes.

J'ai prié une autre fois, au mois d'octobre, quelques années plus tôt. Un enfant était né dans la nuit, je venais de rentrer chez moi au petit matin. Quelque chose me vint qui était de l'envie de prier, de clore, de m'ouvrir. Assis sur mon lit, tranquille, souriant si on souriait quand on est tout seul, j'ai dit d'un bout à l'autre à haute voix *Booz endormi*. Je l'ai dit comme il doit être dit, dans le calme, l'acceptation de tout, l'espérance contre toute raison, la gloire qui vient toujours.

La Ballade des pendus peut être dite pour une mère morte, *Booz endormi* peut être dit pour une fille *née vivante et viable,* comme l'écrivent les accoucheurs dans leur rapport de routine. Il y a bien peu de pièces de vers qui peuvent tenir en ces deux occasions, comme on dit que le tungstène tient dans la température du zéro absolu, le tungstène, dont sont habillés les beaux télescopes suspendus entre terre et lune qui regardent le *Big Bang.* Le tungstène regarde le *Big Bang.* Les deux poèmes que j'ai dits regardent les cadavres, tous les cadavres parmi lesquels il y a ceux des mères, ils regardent l'âme qui se souvient de ces cadavres qu'elle a habités, d'où elle a observé le petit morceau de *Big Bang* à elle fugitivement dévolu ; ils regardent les corps vivants, les petits enfants qui naissent, qui vieilliront et mourront. Ils les regardent, ils leur parlent, ils en parlent, cadavres, petits enfants et nous qui sommes entre les deux, comme si cadavres, petits enfants et nous c'était le même – et c'est le même. Ils rassurent le cadavre, ils assurent l'enfant sur ses jambes. Voilà sans doute la fonction de la poésie. Je n'en vois guère d'autre. Les poèmes peuvent avoir cet effet, ils peuvent servir à ça, tenir dans le même coup d'œil le *Big Bang* et le Jugement dernier, et tout ce qui arrive entre les deux, le deuil éternel et la joie qui l'est aussi, la richesse et la misère son ombre, la muraille verte, la morte, les adjectifs *vivante* et *viable;* bouleverser les hommes en les douant fugacement de cette double vue. À quoi bon des poètes, en nos temps qui sont des temps de détresse, l'année de détresse 2002, comme l'était l'année 1462 à Moulins où Villon bouclait le *Testament,* comme l'était l'année 1859 en mai de laquelle Hugo écrivit *Booz,* comme l'était l'année indécise du néolithique tardif pendant laquelle Booz rêvait – *Wozu Dichter,* pourquoi des poètes? Pour ça seulement.

J'ai sûrement prié d'autres fois, mais ces prières n'en étaient pas tout à fait, elles n'étaient pas adressées à une vieille morte ou à une petite vivante – elles n'étaient adressées à rien, aux arbres, à ma complaisance envers moi, à la joie sans rime ni raison qui se donne des rimes pour se décupler. Une fois, j'ai suivi des amis archéologues sur un chantier de fouilles en Haute Éthiopie, dans la province du Menz : trois mille mètres d'altitude sous les tropiques, c'est-à-dire quelque chose comme le climat de la Toscane, le bleu extravagant du ciel, et cette couverture végétale que les géographes appellent le *parc,* qui est une savane, mais qui tient du pâturage et du causse, un gazon anglais. La fouille délimitait la ville de tentes d'un roi médiéval qui avait pris soin, comme Végèce le conseille, « d'asseoir son camp dans un lieu sûr, où l'on puisse avoir en abondance du bois, du fourrage, de l'eau et un air sain ». Il y avait de tout cela en abondance ; il y avait aussi du grain, que les gens de là-bas enfouissent avec un soc de mimosa dur, moissonnent à la faucille et battent sur l'aire ; des genévriers géants, tabulaires, régaliens, propres à ombrager les rois ; des orgues basaltiques déchaussées, un culbutis de rocs, de beaux blocs polyédriques effondrés, qu'on aurait mangés, comme dans la *Faim* de Rimbaud, sur lesquels on s'asseyait, comme un roi ; et, passé le camp du roi et les orgues écroulées, il y avait une prairie longue et large plantée d'eucalyptus, tombant à pic sur le rempart naturel d'un canyon de trois cents mètres de haut.

C'est souvent là que j'allais. C'était désert et ça ne l'était pas. Souvent je me croyais seul, et des enfants tout à coup m'entouraient, attentifs, sereins, prompts à servir, à expliquer dans un mauvais anglais la fonction de ce qu'on voulait, le vent, les arbres, les branches des arbres, Dieu ou la poésie rimée si ça vous chantait. Ils n'étaient pas contrariants. Seulement, ils avaient dès le premier jour noté que j'avais toujours dans les poches plusieurs de ces crayons en plastique coloré qu'on achète en pochette aux kiosques des gares, et qui étaient un trésor pour eux ; aussi l'entretien et les services étaient ponctués de fréquents : *Father. A pen ? Give a pen, father.* Ces commerces avec le *father* (me prenaient-ils pour un prêtre ? un patriarche ? ou constataient-ils simplement un vieux ?) ne les empêchaient pas de ramasser les branches mortes des eucalyptus, car c'était pour ça qu'ils étaient dans la prairie au-dessus du canyon. Ce travail de glaneur était un devoir des enfants du Menz, à la rigueur des jeunes hommes ; je savais que les rares femmes qui ramassaient du bois étaient veuves ou délaissées, et sans enfant. Les femmes dans cette situation sont nombreuses et désespérément cherchent un compagnon, un géniteur, quel qu'il soit. Elles ne sont pas vraiment regardantes.

Un soir, j'en vis une. Elle venait de l'autre bout de la prairie. Elle me faisait de petits signes en venant, tout en glanant son bois. C'étaient des invites, à la fois discrètes et flagrantes, des sourires, des regards, une certaine façon modeste et franche de vouloir paraître à son avantage, sans minauderie ni vulgarité, comme l'invite sexuelle se pratiquait sans doute depuis le début dans les sociétés agraires, que nous ne connaissons plus. Je ne compris pas du tout sur l'instant ce qu'elle voulait, je croyais que c'était de l'amabilité. Elle arriva devant moi, avec son fagot sur le bras. Elle pouvait avoir trente ou quarante ans, elle était encore assez jolie, mais des dents manquaient, et le ventre était déformé. Dans ce mauvais américain dont le monde entier dispose, ce syriaque de l'Empire, elle me parla, souriante et offerte sans ostentation. Ses quatre enfants étaient morts, son mari aussi. Elle souriait. Elle avait la farouche bravoure de la vie. Elle me regardait bien en face. *Come home. Bread. Milk. Me. Tala* (c'est la bière en éthiopien). Elle riait, elle était sérieuse. Je riais aussi, je lui dis que j'avais déjà *homes* et *families,* et que quelqu'un du village m'attendait pour boire la *tala.* Je lui donnai autre chose que de l'amour, ce qu'on porte dans la poche arrière des jeans et qui sert à tout. Elle s'en alla avec le même sourire, les mêmes façons franches et directes.

Le faux patriarche n'avait pas voulu de la vraie glaneuse.

Elle m'avait ému. Elle était partie. Le vent soufflait un peu du canyon et me piquait les yeux. Je dis d'un bout à l'autre *Booz endormi,* pour les eucalyptus et les genévriers, pour les rois morts, pour le néolithique, pour l'aire et les déluges, pour me faire plaisir et me faire pleurer, pour être déjà ivre avant de l'être de *tala,* pour le canyon dans lequel on peut tomber, pour le sabir universel, pour les occasions manquées, pour les femmes qu'on veut et pour celles dont on ne veut pas, pour *jamais plus,* pour *Corvus crassirostris* qui niche dans le Menz, *thick-billed raven,* qui a un vol épais, un bec ordurier, un cri répugnant, un plumage plus funèbre que celui de la vieille corneille, mais qui porte sur la nuque la largeur d'une main d'enfant d'hermine, de lait, de neige, un pur miroir où la candeur se regarde.

Comme je finissais, elle apparaissait pour de bon, la faucille d'or dans le champ des étoiles. J'allai boire la *tala*.

Il n'est peut-être pas indifférent de dire le peu qui se passe dans ce poème, d'après ce que j'en comprends : un homme dort une nuit de battage ou de moisson. Il dort à la belle étoile. C'est dans les temps bibliques. L'homme qui dort est un moissonneur et un peu plus qu'un moissonneur, le maître de la moisson, un gros propriétaire, un latifundiaire. Le grain ruisselle. Cet homme est veuf, sans enfant, très vieux, il accomplit le bout du parcours dans les formes, sans ressentiment. Il fait un rêve : il y voit, sous la forme raide d'un chêne qui lui pousse au ventre, une érection juvénile et une longue descendance très illustre. Il n'y croit pas, il sait qu'il rêve. Il a tort : pendant qu'il dort et rêve, une Étrangère qu'il a embauchée comme glaneuse, une très jeune femme, s'est couchée près de lui, a dévoilé sans ambiguïté sa poitrine, et attend son bon plaisir. Les yeux ouverts sur le ciel, elle se pose une question sur l'origine de la lune.

Voilà ce que tout le monde y peut entendre : l'engrangement des blés, l'engendrement impossible mais probable, le sommeil des hommes et la veille volontaire des femmes, la lune et les étoiles dont on ne sait pas vraiment comment c'est fait.

On peut y entendre davantage, mais parce qu'on l'a lu par ailleurs, cela n'est pas dit dans le poème, ce sont des récits de la tribu : Booz est le dernier rejeton de la lignée d'Abraham, qui doit s'éteindre avec lui. Ce que lui offre l'Étrangère, qui croit n'offrir que son corps, c'est de relancer la lignée d'Abraham, d'aider à faire venir ce pour quoi cette famille existe, de rendre possible l'Incarnation. Après le poème, après l'accouplement dans le noir, après les rimes embrassées et les corps embrassés, naîtra Obed, qui aura pour petit-fils David, roi, qui aura lui-même pour lointaine progéniture Jésus de Nazareth, qui clora une fois pour toutes la lignée d'Abraham un vendredi à trois heures de l'après-midi – mais qu'importe la lignée d'Abraham dès lors qu'en trente-trois ans de vie on a installé l'Éternité dans le temps, l'incommensurable dans la mesure, le Créateur dans la créature, l'infigurable dans la figure, l'ineffable dans la parole, l'incirconscriptible dans le lieu, l'invisible dans les yeux des hommes. C'est cela que joue l'Étrangère qui s'offre, c'est l'Incarnation, l'événement prodigieux, le cœur battant de l'Occident, la raison et la folie de l'Occident. Sans elle, sans ses seins, sans son grand appétit nocturne, pas de Dieu tout vif, pas de Croix, pas d'évangélistes quatre fois enfonçant le clou, pas de dieu sans nation spécifique, pas de toute-puissance accrochée là-haut qui rend les hommes libres. Elle regarde la lune.

Je suis sûr d'avoir entendu pour la première fois *Booz endormi* au début de juillet, juste avant les vacances d'été, à l'école de Mourioux, vers dix ans. C'était le moment de l'année où on était encore à l'école et on n'y était plus tout à fait : les après-midi, de purs rêves, se passaient en *classes promenades* dans la campagne, à dire des mots de botanique ou de géologie, à se pencher sur des fleurs exiguës et caresser de grosses pierres. Au retour de ces classes de plein air, l'instituteur avant de nous donner congé nous lisait, pour son plaisir je suppose, quelques pages de textes littéraires ou qu'il pensait tels. J'ai entendu ainsi le début de *Salammbô*, celui de *La Guerre du feu*, les célèbres pages de la lune dans les nuages du Nouveau Monde des *Mémoires d'outre-tombe*, un bon nombre de poèmes parnassiens, et *Booz*.

C'était l'été, c'était un texte d'été. L'été de juillet, celui des tilleuls et de la moisson. Pourtant quand je lis *Booz*, ce que j'entends sourdement, ce ne sont pas les cris d'enfants glanant le tilleul dans la cour de l'école, ni les bruits des faucheurs ou de la grande faucheuse mécanique ; j'entends un autre moment de l'été : ce qui en bruit de fond dans ma mémoire scande les vers ou l'intervalle entre les vers, c'est le bruit des batteuses.

Il n'y avait pas encore de moissonneuse en ce temps, et plus d'aire ; on égrenait le blé à l'aide d'une de ces énormes machines fixes à courroies nues, à redans et saillies agressifs, peintes la plupart du temps en rouge vif, tressautantes sur des écrous peu fiables, plus vrombissantes qu'un avion, hallucinées et précises comme du Breughel ou des machines de siège de Léonard. Cela tenait de la machine à décerveler d'Ubu et du char d'assaut : c'était une pure violence tapie, ronflante. C'était presque vivant. C'était très autoritaire et ça ne pardonnait pas : autour de ce vacarme, sous le soleil d'août, dans une odeur très spécifique de paille broyée mêlée à celle du fuel, que je ne sentirai plus jamais, dans un nuage de poussière suffocante, travaillaient comme des forçats des hommes aux mâchoires serrées, tous les muscles noués, les manches nouées au poignet, un foulard noué au cou pour que la poussière n'entre pas, la balle du grain collée au visage par la sueur, des damnés. Ce n'étaient pas des hommes particuliers, c'étaient ceux que je voyais tous les jours, les paysans et les journaliers de la commune, qui tous prêtaient main-forte au propriétaire dont c'était le tour de battage. Mais ces jours-là ils étaient comme fous, ou d'un autre monde. Quand à la fin du jour la machine enfin mourait, ils se jetaient sur le vin, ils riaient, ils revenaient de loin, ils serraient de près les femmes, ils banquetaient à grands éclats autour de longues tables dans les granges et les cours, tard dans la nuit. C'étaient des appétits et des festins de révolution, de délivrance, de terre promise atteinte ; les désirs au-dessus de ces tables avaient presque une épaisseur visible, comme la balle du grain dans la journée. Beaucoup dormaient où ils tombaient; le lendemain à l'aube, les dents serrées, le mouchoir noué, ils étaient à une autre batteuse.

Les enfants, qui pendant tout le jour étaient restés fascinés près de cette violence sans frein, regardaient la nuit de loin ces tablées bibliques illuminées, fascinés encore de cette autre violence.

Une fois – c'était le même été où j'avais entendu *Booz* en juillet, j'en donnerais ma main à couper –, le soir de la batteuse chez Pierre M., nous regardions de la sorte. Je m'éloignai du groupe, pour batifoler comme font les enfants – ou peut-être parce que je m'étais avisé que ni la très belle femme de Pierre M., ni Gustave, un ouvrier agricole vigoureux qu'on lui prêtait pour amant, n'étaient plus autour de la table. Je descendis vers la grange du bas, où les bruits du festin ne parvenaient qu'étouffés. La porte de la grange était entrouverte, un autre bruit en venait. C'était violent quoique étouffé, éclatant quoique obscur. Une femme gémissait. Ils étaient là. Elle était là par terre sous lui. Je courais peu de chances d'être vu, j'écoutais et je regardais de toutes mes forces. J'assistai, avec un plaisir et une angoisse féroces j'entendis croître et s'accélérer la voix inexprimable, la voix qui est à elle seule un corps entier, la voix massive et indubitable comme un moteur de batteuse. La grange était sombre, je ne voyais que la tenaille blanche des cuisses ouvertes et levées, remuées, et c'était bien suffisant. J'entendais le rythme à couper le souffle, les césures et les reprises de suppliciée. La femme enfin jouit à pleine gorge dans cette cascade de sanglots ou de rires, ce saint blasphème, cette malédiction rayonnante, qui est le bruit du monde, de la génération, de ce que nous sommes. Je ne sais pas s'il y avait de la lune cette nuit-là. Mais je suis sûr que ce bruit – du monde, de la génération – est celui aussi que j'entends dans les suspensions à couper le souffle, dans les césures brutales et les reprises avides de *Booz endormi*.

En février ou mars 1998, j'étais invité avec une poignée d'amis écrivains, de collègues, dans une ville du Midi. Nous servions les lubies culturelles de la marchandise, puisque c'est devenu l'usage. On nous avait demandé de lire chacun un texte de notre choix, Florence, Marianne, Patrick, Jean et moi. Tout se passa dans les règles. Je lus pour d'autres, un public comme on dit, *Booz endormi,* et je fus content de l'avoir fait. Au dîner, la conversation tomba de la haute poésie dans laquelle nous avions baigné tout l'après-midi à des affaires de boutique, comme il arrive toujours entre collègues. Nous parlâmes de la critique littéraire, plus précisément des critiques qui avaient une dent contre tel ou tel d'entre nous. Je mis sur la table R. M.

R. M. tenait alors une de ces chroniques hebdomadaires, pointues et pointilleuses, d'un quotidien, qui visent à asseoir leur auteur dans le siège de Sainte-Beuve, ce qui n'est pas rien, et qui par contrecoup font s'ébattre la marchandise et marcher la littérature. Il avait récemment amoché un de mes livres, et c'était justice que je l'amoche aussi, sans barguigner et à tour de bras, que je fasse rire de lui. *Booz* m'avait mis en forme, ce numéro-là aussi marcha bien. Jean défendit mollement le noble critique, mais il était déjà hilare, il céda. Nous rîmes beaucoup. Nous assassinâmes R. M.

Descendant tard pour le petit déjeuner, je pris mécaniquement le journal sur la pilette à la disposition des clients, le quotidien justement auquel R. M. donnait sa chronique, et qui est souvent le seul qu'on puisse dénicher dans les hôtels de faux luxe. Je le posai près de moi, je me versai du café, mes yeux tombèrent sur un des gros titres à la une : *R. M. est mort.*

Je me dis : il est mort pendant que tu lisais Hugo. Puis : c'est toi qui l'as tué. J'étais guilleret et flatté, j'étais le bras armé, j'exultais comme l'ange quand il raccourcit Ratbert, comme Quasimodo quand il fracasse Frollo, comme Élie quand il précipite les curés de Baal, comme Tiphaine quand il tue l'enfant, peut-être comme Caïn quand il descend son bon garçon replet de frère. J'avais descendu R. M.

J'ai cru longtemps (nous sommes tous plus ou moins fous) que j'avais dit inconsciemment ce poème dans le but qu'il meure, R. M., quatre-vingt-huit vers de douze pieds comme quatre-vingt-huit coups de knout, de sabre ; quatre-vingt-huit pierres ; quatre-vingt-huit balles explosives crachées d'une kalachnikov ; qu'il avait expiré au dernier vers, que c'était plus qu'il n'en pouvait supporter ; que ce poème était un sort, comme en bricolait Antonin Artaud, de ces sorts *qui ne seront ni reportés ni rapportés ;* que c'était un crime parfait ; que c'était ce crime qui m'avait tant ému pendant ma lecture, qui l'avait rendue grave et juste, et fait un instant de ceux qui l'entendaient des espèces de justes, de juges. Ensuite, dans des moments de remords, de raison, ou de plus grand orgueil, je me suis dit que peut-être j'avais lu, j'avais bien détaché, déclamé, que j'avais senti avec ferveur dans ma bouche et mon esprit, que j'avais lancé dans le jour – que j'avais dit les quatre-vingt-huit vers impeccables pour prier sur R. M., bercer son agonie et refermer ses yeux, lui pardonner et me faire pardonner de lui. Pour que Dieu ait de lui et de moi merci. Aujourd'hui, je ne sais pas.

Dans une ville de l'Ouest, au début de 2002, année bicentenaire de la naissance d'Hugo, l'université m'invita aussi avec des collègues,

Mathieu, Bernard, Philippe et moi, pour louer le grand mort. Il ne s'agissait plus seulement de dire des vers : je devais lire un texte de ma main d'une vingtaine de minutes, guère plus ni moins. J'acceptai étourdiment l'invitation ; mais quand il fallut attaquer la rédaction, je vis très vite que je n'écrirais pas le texte demandé. Je me trouvai de bonnes raisons : le sommeil bavard des politiques et des parleurs, qui tous saluaient Hugo pour ses tautologies et sa compétence à enfoncer des portes ouvertes, ce grand barbarisme public me faisait rire, je ne tenais pas à y ajouter ma voix. Mais il y avait de mauvaises raisons : ma paresse, l'énorme travail qu'eût été l'immersion dans cette œuvre polymorphe, l'impossible choix qu'il me fallait faire dans cette totalité compacte – comme, me disai-je, découper un morceau d'enclume pour le commenter, en l'absence de la forge, du marteau, du reste de l'enclume – ; la difficulté à ajuster ce discours qu'on me demandait à son public, tous universitaires spécialistes de Hugo, avec qui le bluff dont je suis coutumier ne marcherait pas ; enfin, et ceci tous les écrivains qui sont confrontés à cette situation le ressentent, à moins d'être des brutes mégalomanes, la difficulté plus grande encore à ajuster ce discours aux autres discours qui seraient dits sur la tribune, avant ou après le mien – c'est qu'il s'agit là de la concurrence, de la guerre, mais aussi de l'émoussement et du polissage de la concurrence, qui est la civilisation : ce que vous dites sur ces tribunes, ces tables rondes, doit être meilleur, plus fort, plus ému ou compétent que ce que disent vos collègues, mais pas trop saillant tout de même, pour n'offenser personne ; et bien sûr, ça ne doit pas être plus mauvais non plus. Limer ces affaires de destinaires et de chevaliers de la table ronde est une aventure impossible. Donc le jour fut là et je n'avais rien préparé.

J'arrivai à l'université dans un de ces états de somnambulisme décontracté où l'on se dit que tout ira bien, pourvu qu'on ne pense à rien. Il y avait une cafétéria à l'entrée de l'amphi où nous devions parler ; les collègues y étaient assis ; un éditeur avait eu l'idée lumineuse, ou ténébreuse, d'apporter des bouteilles de whisky et de vin blanc, bien sagement alignées sur la table ; le soleil d'hiver y jouait. Je décidai – mon somnambulisme décida – de déclencher ce que beaucoup d'écrivains de toute taille et de toute nature connaissent, et que je propose d'appeler le réflexe de Charlottesville.

Le 22 octobre 1931 William Faulkner partit pour Charlottesville. Il devait participer à une espèce de table ronde, une assemblée d'écrivains sudistes, à l'université de Virginie. La somptueuse université néo-classique, les beaux pavillons dans les beaux arbres, les marbres, les chapiteaux corinthiens et les rotondes parfaites de l'architecte Jefferson le terrifièrent ; les écrivains sudistes le terrifièrent parce qu'ils étaient sudistes, les quelques invités yankees le terrifièrent parce qu'ils étaient yankees ; son ami Sherwood Anderson, qui était là, le terrifia, parce qu'il était son ami ; sa propre incompétence le terrifia. Il raconta plus tard qu'il se sentait comme un chien de ferme recroquevillé sous la charrette de son maître, en attendant que celui-ci ait terminé ses emplettes à l'épicerie du bourg. La charrette, c'était du bourbon. Dès le portique de marbre, il fut ivre. « Il demandait à boire à tout le monde, écrit Sherwood Anderson ; si on ne lui donnait rien, il buvait ce qu'il avait. » Ainsi fabrique-t-on de la mythologie avec le petit geste très conformiste, un peu veule, ou brave dans l'hyperbole, de sortir dans les occasions périlleuses sa fiole de bourbon et d'en boire un coup : on donne tout, portiques de marbre, sudistes, vieille Virginie, négriers, tabac blond, *farmer* et son chien, *farmer* et le chien qu'il porte en lui. Le chien qu'il cajole et vénère en lui comme un roi. Qu'il assassine comme un roi. Tout cela, c'est le syndrome de Charlottesville.

Je déclenchai donc le réflexe de Charlottesville, qui est en même temps une défense, une déroute, et un triomphe burlesque. C'est un acide, mais c'est un baume. Je pris cette bouteille de whisky qui si miraculeusement était là devant moi, j'en emplis le gobelet. En moins d'un quart d'heure j'étais noir, somnambule pour de bon. Nous fûmes assis à la *table ronde,* une bouteille devant moi (on a pour les auteurs de ces tolérances coupables, qui sont peut-être des injonctions). Deux collègues avant moi firent leur devoir de parole : je faisais mine de les écouter, béat, hilare ou opinant gravement à contretemps, mais je n'entendais absolument rien. Mon tour vint, j'acceptai volontiers la parole et énonçai d'une voix pâteuse et catégorique des tautologies dont je me souviens mal – mais je me souviens que j'eus tout à coup un sursaut de révolte, ou de raison, ou de respect pour le vieux mort dont après tout ici nous parlions : je saisis *La Légende des siècles* et me mis à lire *Booz endormi*. Je tombai dedans plutôt : la déclamation que j'en ai fait là, l'enroulement déroulé des quatre-vingt-huit vers, est un vide total de ma mémoire. Mais sur *Booz endormi* rien ne mord, même le bouillon d'acide de Charlottesville ne marche pas : je dis sans bavure, sans accrocher une seule fois, d'après ce qu'on m'a raconté, avec le ton, l'émotion et le nombre, les quatre-vingt-huit vers à réveiller un mort.

La faucille n'était pas plus tôt tombée dans les étoiles que l'ivresse me retomba dessus. Au dîner de clôture, j'essayai grassement de séduire une jeune fille, comme dans la chanson, comme dans le poème. Enfin il était temps, j'allai dormir, comme dans la chanson dorment l'assassin ivre du poème de Baudelaire, Booz, n'importe qui.

À la BNF, la Très Grande Bibliothèque de France, la quadruple stèle François-Mitterrand, flanquée de noms de victoires, Tolbiac, Austerlitz, j'arrivai à midi le 12 juin 2002 pour dire *Booz endormi*. Je ne déteste pas cet endroit rude, dressé sur un champ de bataille au milieu d'un désert. Il prédispose au vide, au remuement amer des gros bouquins qu'on ne lira pas, aux alcools raides. Il aspire le vide universel : l'ensemble, on le sait, est une immense esplanade délavée comme un pont de bateau, coincée entre quatre bouquins de béton posés sur le pied et ouverts sur rien, à pic, illisibles. Ça contient des livres. C'est pensé à la serpe, dans une mimésis hâtive, mais très efficace et juste. Ça n'a pas plus de cœur que n'en avait, à ce qu'on dit, son fondateur éponyme. Ça ne manque pas de gueule. Le ciel était celui qui convient à ce lieu : gris avec des fulgurations bleues, venté, à la fois tonique et aveuglant, accablant. Les nuages allaient vite. Le taxi m'avait déposé à l'ouest, près de la Seine ; il faut monter les trois volées de marches triomphales vers François-Mitterrand ; je les montai. Il faut monter aussi vers le fauteuil de pierre de Charlemagne, à Aix-la-Chapelle, je venais de le lire dans le train de la main de Hugo. On monte vers le vide et la toute-puissance.

Je traversai vite cet entonnoir sidéral, ce trou perdu où les quatre in-octavo de cent mètres se renvoient l'un à l'autre le vent jour après jour. Nul ne s'y attarde, c'est trop beau peut-être, c'est trop raide. Je fus vite dans le sous-sol du bouquin de l'est, où je devais lire, et où je lus.

Je lus très bien, on m'en félicita.

Personne ne s'avisa de ceci : en cours de lecture, je décrochai. Je ne sais à quelle césure, à quelle reprise, à quelle strophe, à quel *souffle sur Galgala* ou à quelle *empreinte du Déluge,* à quel moment le fil cassa. Je m'aperçus soudain que je n'étais plus dans le texte, j'avais décroché depuis deux ou trois vers : ça décollait sans moi, ça roulait tout seul comme un moulin à prières. Oui, le fil ténu et puissant qui m'avait lié si longtemps au vieil homme endormi, qui avait fait que lisant son poème j'avais toujours épousé en tremblant sa cause, son doute et sa fatigue, son coma, le fil avait cassé net : maintenant, je le regardais dormir. Je lus la fin dans un parfait détachement, mais avec toute l'affectation d'émotion que me donnait la grande familiarité du poème, mon lien de parenté avec lui.

Le livre refermé, je ressentis un peu de culpabilité, mais une fierté singulière, coupante, froide, un sentiment de toute-puissance : ce poème, je n'y croyais plus, mais j'y faisais croire aussi bien que si j'y croyais, peut-être mieux. J'avais vaincu ces vers. J'étais un homme libre. Une poignée d'amis m'attendaient pour le déjeuner, ils m'emboîtèrent vivement le pas sur ces passerelles creuses qui donnent au pas une frappe d'épopée. Sortant, je foulais le navire de bois comme un impérator foule un camp retranché de légions, dans les Germanies ; je portais imperceptiblement le chapeau noir et l'écharpe rouge du Président ; et peut-être même la couronne de fer, le globe universel, l'épée germanique et le drap d'or du vieux fils de Pépin. Ces pas qui claquaient derrière les miens, c'étaient des preux de France, un staff ministériel. Charlemagne descendait du fauteuil de pierre. J'étais en pleine forme.

On n'a pas le choix pour le déjeuner, près du désert François-Mitterrand : il n'y a dans ces Germanies venteuses qu'un grill à l'américaine,

Buffalo ou Hippopotamus ; on y mange de la belle viande crue ; le vin de Californie y coule bien, les alcools raides aussi. Là, dans un de ces box western qui ressemblent à un banc de chapitre sculpté, raidement assis comme sur une cathèdre, serré contre mes preux de France, je me pochardai jusqu'au soir. Je célébrais la victoire. J'étais un homme libre. Les preux l'étaient aussi. Par la fenêtre je voyais la grande muraille, les quatre stèles victorieuses, les bouquins vertigineux où s'écrivaient les nuages, les écroulements du ciel, la va-vite du jour : c'était le tombeau d'un vieil homme couché que j'avais descendu. Les preux, qu'appelaient d'autres affaires, d'autres victoires, partirent un à un. De la Maison de France il n'y eut plus que Bertrand, et moi.

Les premiers dîneurs arrivaient à l'Hippopotamus. Nous quittâmes le trou perdu de Tolbiac pour le vrai Paris habité. Le soleil avait vaincu les nuages, il revenait, les quatre tours resplendissaient : le vide en moi avait fait du chemin, il prétendait à la lumière. La Seine miroitait, le vide et la lumière allaient vite sur les voitures du quai. J'étais si important, élastique, fluide et ivre, en montant dans le taxi, que le chauffeur aperçut vraisemblablement le chapeau noir et l'écharpe rouge du Président que je portais *in petto*. Nous nous attablâmes dans le Marais, à L'Éléphant du Nil.

Le restaurant était plein, nous dûmes nous installer à une table exiguë à peine séparée du bar par le couloir étroit où s'affairent les serveuses. Du bar, le regard du patron et de ses acolytes, des hommes jeunes et vifs, tombait directement sur notre table. C'étaient de bons valets d'armes, des écuyers de France. Nous reprîmes des alcools raides, de la viande crue. Le repas en tête-à-tête prédispose à la confidence brute ; je suis un père tardif, j'en suis emphatiquement fier, c'est la loi. Bertrand aussi est père, je jouai en lui de cette corde ; il me laissa gentiment parler, d'ailleurs on ne pouvait plus m'arrêter. À L'Éléphant du Nil, je louai fraternellement la paternité, la mienne. J'en avais tout compris : je ne faisais qu'un avec le père, qui est, comme chacun sait, juste et sûr, puissant. Ce feutre noir que j'avais coiffé en douce le matin à la BNF m'était un bon galurin : le Président lui aussi avait joué avec application le rôle du père tardif, et sa fille était née dans les années mêmes où naissait le quadruple bouquin de béton illisible ouvert sur rien. Je louai donc ma paternité. J'étais bien placé pour parler des pères, moi qui le matin avais laissé derrière moi, couché, vaincu, le père dans son sommeil de géant, dans le cul de basse-fosse de la BNF. Mon ivresse était parfaite, je voulais étreindre l'univers entier dans ma bénévolence, dans ma toute-puissance ; il fallait que tout le monde en profite ; pendant le repas, j'avais suivi du coin de l'œil les évolutions d'une jolie barmaid passant et repassant dans ce couloir exigu entre le bar et moi. Le père est incertain, il ne faut pas s'y fier : ma main soudain s'abattit classiquement et péremptoirement sur la jupe de la barmaid.

Quelque chose se déchaîna, dont j'ai peine aujourd'hui encore à admettre que mon geste était la seule cause. L'homme du bar et ses acolytes, à qui j'avais sans doute échauffé les oreilles pendant tout le repas avec mes présomp-tions de paternité, bondirent. J'entendis : *On ne touche pas mes serveuses* ; la fille avait disparu, elle n'était que prétexte ; les trois bougres étaient sur moi. Ils avaient des éclairs dans les yeux, un contentement glacé aussi louche que celui qui m'avait porté toute la journée : c'est qu'ils tenaient le père, le vrai, le vieux salaud de la horde. Ils voulaient casser du père, ils allaient casser du père. J'étais trop ivre pour ne pas en être profondément satisfait, spectateur d'un drame qui tournait juste. Cette satisfaction, mes excuses magnanimes, mirent un comble à leur colère. Six mains me saisirent au col, me portèrent dans les airs plus qu'elles ne me traînèrent, et me jetèrent sur le sol de la terrasse, parmi les guéridons de dîneurs arrêtés. Je ne sais sous quels pieds, dans quelles miettes, avait roulé le chapeau présidentiel, mais il avait roulé, je m'en sentais débarrassé. L'affaire fut bien près de mal tourner, je m'attendais à entendre craquer les os. Au-dessus de ma tête Bertrand repoussait des poings, parlementait, engueulait, concédait, défendait ma peau ; il avait l'âge de ces jeunes hommes plus que le mien, il les calma peu à peu. Je restai allongé où j'étais. J'étais bien. Le ciel au-dessus de Paris n'était pas vide, il était plein d'étoiles. Je me dis : tu es Booz, tu es couché, tu dors. Tu en as le droit. Tu as tout le jour travaillé dans ton aire. J'avais rejoint le vieux. On m'avait sagement couché à ma place ordinaire, près du vieil homme endormi avec qui j'ai partie liée. Il est bon que les pères dorment ; il est doux et inoffensif que les impérators des légions mortes soient couchés dans les Germanies, Charlemagne à Aix, à Jarnac le Président. J'étais couché comme eux, seulement je n'étais pas mort. Je voyais les étoiles que porte l'air. Nous aussi, nous sommes comme cela en l'air. Le ciel nous porte. Le ciel est un très grand homme. Il est père et roi à notre place, il fait cela bien mieux que nous.

De cet ouvrage composé en Garamond corps 13
il a été tiré soixante-dix exemplaires sur Rivoli
numérotés de 1 à 70
et quelques exemplaires hors commerce marqués HC.

CHEZ LE MÊME ÉDITEUR

Cet ouvrage a été achevé d'imprimer en novembre 2002
dans les ateliers de Normandie Roto Impression s.a.s.
61250 Lonrai
N° d'imprimeur : 022619
Dépôt légal : novembre 2002

Imprimé en France